La Llorona de Mazatlán

Cover and Chapter Art by
Irene Jiménez Casasnovas

Written by
Katie Baker

Edited by
Carol Gaab

ISBN: 978-1-935575-87-0

Fluency Matters, P.O. Box 11624, Chandler, AZ 85248
info@FluencyMatters.com • FluencyMatters.com

A NOTE TO THE READER

This Comprehension-based™ Reader is based on a Mexican legend. The story was written with a *manageable* amount of high-frequency vocabulary (fewer than 300 unique words) and countless cognates (words that are similar in two languages), making it an ideal read for beginning language students.

Essential vocabulary is listed in the glossary at the back of the book. Keep in mind that many verbs are listed in the glossary more than once, as most appear throughout the book in various forms and tenses. (Ex.: I go, he goes, he went, etc.) Vocabulary structures that would be considered beyond a 'novice-mid' level are footnoted within the text, and the meanings given at the bottom of the page where each occurs.

We hope you enjoy the author's version of the legend! Happy reading from Fluency Matters.

Índice

Capítulo 1
Atrapada en la monotonía

Laney Morales caminó hacia otra mesa en la heladería y pasó frente a la ventana. Miró su imagen en el cristal. Vio su pelo largo y negro, sus ojos marrones y su piel morena. Laney sabía que era hermosa, pero no se sentía hermosa en este momento. Llevaba el ridículo uniforme de la heladería, Braums'. Tenía helado en las manos, en la ropa... y en el pelo. Se sentía completamente fea.

«Aquí está su helado», le dijo a un cliente, avergonzada por su apariencia. Laney le dio su helado y, forzando una sonrisa, le dijo: «Gracias por venir a Braums».

No le gustaba el trabajo en la heladería porque siempre tenía helado en las manos. Pero era un trabajo, y Laney tenía que ganar dinero. Su padre no ganaba mucho dinero. Ganaba suficiente, pero no para cosas 'extras'. Si Laney quería zapatos Nike o un teléfono inteligente, tenía que trabajar.

La puerta se abrió y una chica entró a la heladería. Era Jessica, una amiga de Laney. Ellas jugaban juntas con los Tigres, el equipo de fútbol de Norman High School.

– Hola, Laney –le dijo Jessica.

– Hola, Jessica. ¿Qué tal?

– Fatal. ¿Ya recibiste tu carta del campamento? –le preguntó su amiga con voz triste.

Jessica hablaba del Campamento Internacional de Fútbol en Mazatlán, México. Aunque Laney trabajaba para comprar un teléfono, ahora tenía otra motivación: ganar dinero para el campamento. Ahora el campamento le importaba más que un teléfono tonto. Las dos amigas querían ir juntas. Ellas filmaron videos para la audición, y ahora estaban esperando cartas del campamento.

– No, no recibí nada. Yo he estado aquí en

Braums' todo el día. ¿Tú? ¿La recibiste? –Laney le preguntó, aunque era obvio que Jessica ya había recibido[1] una carta y que el campamento no la había aceptado[2].

– Sí, recibí mi carta hoy. No me aceptaron...No voy.

– Ay, qué terrible. Pues, si tú no tienes una plaza, es probable que no me vayan[3] a aceptar tampoco.

Laney compró un helado con chocolate extra para su desilusionada amiga. Jessica se comió el helado y salió.

A las 6:30 de la tarde, Laney salió de Braums' y empezó a caminar hacia su apartamento. Caminó lentamente. Aunque esperaba su carta del campamento ansiosamente, ahora tenía miedo de verla. Si no aceptaron a Jessica, probablemente Laney no iría tampoco y ella quería ir al campamento más que nada en el mundo.

Para Laney, el fútbol era su vida. Lo practicaba todo su tiempo libre. El campamento era una oportunidad excelente para jugar al fútbol este verano y en el futuro también. Si jugaba bien, era posible que recibiera dinero

[1]*había recibido - had received*
[2]*no la había aceptado - they had not accepted her*
[3]*no me vayan - they are not going*

para la universidad. Laney tenía diecisiete años y su sueño era jugar al fútbol para una universidad grande.

Además, Laney quería escapar de su vida normal. Laney vivía en un apartamento pequeño en Norman, Oklahoma con su padre. A Laney, Oklahoma le parecía una prisión. No tenía conciertos buenos, ni tiendas buenas. No tenía el mar, ni las montañas grandes. Hacía mucho viento, y eso era todo.

Laney siguió caminando. Pensaba: *«No es probable que me vayan a invitar»*. ¿Podría Laney escapar de Norman? ¿Podía dejar su trabajo en la heladería? O ¿iba a estar en Oklahoma para siempre?

Capítulo 2
Diferencias de opinión

Ya eran las siete de la tarde cuando Laney llegó al apartamento. Ella entró a la cocina y se sorprendió de ver a su padre. Él estaba sentado en la mesa con una Coca-Cola® y parecía enojado. Tenía una carta en la mano. Ahora Laney tenía miedo de una carta diferente. *¿Recibió su padre una carta de la escuela? ¿Recibió ella malas notas en una de sus clases?* Era obvio que a Laney el fútbol le importaba más que sus estudios, así que ella trató de hablar con indiferencia.

– Buenas tardes, Papi. ¿Cómo fue tu día?

Su padre no le respondió a la pregunta. Abruptamente, él le preguntó:

– ¿Por qué no me mencionaste que hiciste una audición para un campamento en México?

Laney trató de responder con una voz calmada:

– ¿Cómo sabes que yo hice una audición?

– ¡Porque recibiste una carta del campamento! –le gritó su padre furioso.

– ¿Recibí la carta? ¡¿Me aceptaron?! –exclamó Laney con entusiasmo.

– No me importa lo que dice la carta. ¡No te vas a México!

– Entonces, ¿me aceptaron? ¡¿Me invitaron a México?! –le exclamó Laney con voz de emoción.

– Sí, te invitaron, pero ¡No tenemos dinero extra para un campamento en México! ¡Además, no tienes mi permiso! –le gritó su padre enojado.

– ¡No! No puedes decir que no tenemos dinero. ¡Yo tengo dinero! ¡Yo trabajé en esa tonta heladería todo el año! –gritó Laney.

Ella empezó a llorar y se sentó a la mesa. Su padre siguió bebiendo su Coca-Cola® en silencio y Laney siguió hablando.

– El campamento es una oportunidad buena para mí. Es mi sueño. Es posible que reciba dinero para la universidad. Y está en México; puedo ver el país de tu familia. ¿Qué podría salir mal[1]?

Su padre respondió en voz alta:

– Eres joven y no entiendes que hay mucho que podría salir mal. No entiendes el mundo. México puede ser peligroso para una chica joven como tú. ¡No hay nada en México para ti! No me hables más de esto. Estoy cansado.

– ¿Yo no entiendo nada? ¡Tú no entiendes nada! Nunca entiendes mis sueños –respondió Laney frustrada.

Ella se puso triste y lloró. Lloró y lloró pero no dijo nada más. Estaba desilusionada. Nunca iba a escapar de Oklahoma. Laney y su padre se sentaron en silencio.

Después de unos minutos, su padre habló:

– Laney... –empezó su padre–, es difícil aceptar

[1] *¿Qué podría salir mal? - What could go wrong?*

que mi hija no es una niña. Ya eres una mujer que gana dinero y toma decisiones... y un día, vas a ir a la universidad... Es difícil. Y México, realmente, puede ser peligroso. Hay drogas y violencia ahora. Tengo miedo por ti, hija.

Laney se levantó y abrazó a su padre.

–Yo sé, Papi, pero no todo México es drogas y violencia. Es un país hermoso. Es tu país. Mazatlán no es tan peligroso. Y este campamento realmente es una oportunidad buena para mí.

El padre de Laney pensó un momento.

– Sí, niña, yo sé. Estoy orgulloso de ti, estoy orgulloso de tu talento en el fútbol, y realmente, yo quiero que tú tengas la oportunidad. Pero quiero también que tengas un contacto en México para emergencias. Espera un momento.

El padre se levantó y salió de la cocina. Laney oyó que su padre buscaba unos papeles. Entonces, ella se preguntó, *«¿Qué buscaba? ¿Voy a ir a México o no?»*. Después de diez minutos, su padre volvió a la cocina con un papel en la mano.

–Tu tía abuela vive en México, más o menos cerca de Mazatlán. Es mi tía. Ella no salió con el resto de la familia. Se llama Marta. Nosotros visitamos a Marta una vez, cuando tú eras chica. Tenía que buscar el papel con su información de contacto.

Laney miró el papel y vio la dirección y el número de teléfono de su tía abuela. De repente, Laney se dio cuenta de que su padre estaba dándole permiso[2]. ¡Laney iba a ir a México!

– Oh, ¡Papi! –gritó Laney–. ¡Estoy tan feliz! ¡Gracias, gracias! Va a ser un verano fantástico. ¡Gracias! Laney abrazó a su padre otra vez y corrió a su habitación para pensar.

[2]*dándole permiso - giving her permission*

Capítulo 3
Una vida de aventuras

Unas semanas más tarde, Laney estaba preparándose para salir. Siguió jugando al fútbol, siguió trabajando en Braums' y siguió soñando con México. Estaba cansada, pero emocionada. El 7 de junio, Laney dejó su trabajo. Estaba feliz de no tener más helado en el pelo. Tenía todo el dinero que necesitaba para el viaje. El padre de Laney estaba orgulloso de ella, y Laney estaba orgullosa también.

El día del viaje llegó y al llegar al aeropuerto, el padre abrazó a Laney.

– Hiciste un trabajo excelente, hija. Estoy muy orgulloso de ti. Cuando llegues al campamento, escríbeme un email para que sepa[1] que llegaste bien. Escríbeme unas cartas también. Quiero oír de tu aventura. Pero cuidado, niña, no hables con los hombres y no camines sola por las noches. Si tienes una emergencia, llámame o llama a tu tía abuela Marta, –le dijo su padre dándole un papel con el número de teléfono de su tía abuela–. Ten cuidado. Te quiero, hija.

Laney sonrió, abrazó a su padre y caminó a la fila para tomar el avión.

– ¡Hasta luego, Papi!

Laney tenía una conexión en Atlanta, Georgia. Viajó por dos horas y después tomó otro avión en Atlanta. Ella se sentó al lado de la ventana.

– Hola –dijo una voz suave a su lado.

Laney miró a su lado y vio un joven de más o menos diecisiete años. El chico era alto y rubio y llevaba una camiseta de fútbol. No era guapo, pero tenía una gran sonrisa.

[1]*para que sepa - so that I know*

– Hola –le respondió Laney–. ¿Te gusta jugar al fútbol? –le preguntó.

– Claro, –respondió el chico–. Me gusta mucho el fútbol. Me voy a México para jugar al fútbol en un campamento internacional.

– ¡Yo también! –exclamó Laney–. Creo que va a ser un campamento fabuloso. Estoy emocionada. ¿Cómo te llamas?

– Me llamo Jake –dijo el joven–. ¿Y tú?

– Me llamo Laney. Laney Morales.

– ¿Eres de Atlanta también? –preguntó Jake.

Laney notó que Jake hablaba con un acento y se imaginaba que era un acento de Georgia.

– No –respondió ella–. Soy de Oklahoma, solamente tuve una conexión en Atlanta.

«Qué bueno, un amigo ya», Laney pensó. Jake y Laney hablaron durante muchas horas. El viaje en avión era largo, y Laney estaba feliz de tener un amigo con quien hablar.

Después de muchas horas, el avión llegó a Guadalajara. Los jóvenes tenían que tomar un autobús de Guadalajara al pequeño pueblo de Mazatlán. El avión llegó a las 4:50 y el autobús salía a las 5:05. Laney y Jake corrieron a la estación de autobuses. Laney estaba un poco nerviosa porque no sabía exactamente donde estaba la estación y no quería llegar tarde.

– ¡Corre, corre! –exclamó ella.

Laney notó que otra chica corría detrás de ellos. La chica parecía tener más o menos dieciséis a diecisiete años y era alta, con piel negra, ojos marrones y muchísimo pelo negro. Parecía que ella iba tarde también. Corría muy rápido.

– ¿Van a la estación de autobuses? –gritó la chica.

– ¡Sí! –exclamó Laney–. ¿Sabes dónde está?

– ¡Por allí! –gritó–. ¡Vamos!

Los tres jóvenes corrieron rápidamente a la estación

y llegaron justo a tiempo para tomar el autobús a Mazatlán. Entraron al autobús y se sentaron cansados.

– ¡Ay! –dijo la chica con voz cansada.

Laney notó que la chica llevaba una camiseta de fútbol y le preguntó:

– ¿Vas al campamento de fútbol?

– Sí. ¿Ustedes van también?

– Sí –le respondió Laney con entusiasmo–. ¿Cómo te llamas?

– Me llamo Desi. ¿Y tú? ¿Cómo te llamas?

– Me llamo Laney.

– Encantada de conocerte, Laney. Les va a gustar el campamento. Yo fui el verano pasado y fue increíble –respondió Desi.

Laney observó que la chica era latina y le preguntó:

– ¿De dónde eres?

– Soy de Nicaragua. ¿De dónde son ustedes?

– Yo soy de los Estados Unidos –dijo Jake.

– Y yo también –respondió Laney.

Laney sonrió feliz. ¡Estaba en México! Iba a jugar al fútbol en la playa todos los días y ya tenía dos amigos. En solo un día su vida monótona se convirtió en una vida espontánea. ¡Ahora tenía una vida aventurera! Laney sabía que este verano iba a ser la aventura más fabulosa de su vida.

Capítulo 4
Mazatlán

Los tres amigos llegaron a Mazatlán a las siete de la noche. Estaban cansados pero felices. Salieron de la estación de autobuses y empezaron a caminar al campamento. El campamento estaba muy cerca; solamente tenían que caminar cinco minutos.

Laney tenía interés en todo lo que veía. Había muchos hoteles grandes con palmeras y vegetación tropical. Había personas nativas con su ropa profesional y turistas preparados para ir a nadar. También había una catedral hermosa.

Y por todas partes, había vistas hermosas de la playa y el mar. ¡Mazatlán era más hermoso de lo que lo era en sus sueños! El agua era tan azul como un zafiro y brillaba en el sol. Laney pensaba que el mar era muy diferente al agua de Oklahoma. El agua en Oklahoma era fea y marrón, no azul y brillante. Oklahoma no tenía mar; solamente tenía unos pequeños ríos.

Los tres amigos llegaron al campamento con grandes sonrisas. Laney creía que el campamento parecía fabuloso; tenía un edificio de la administración, una cafetería y un edificio grande para pasar tiempo con los amigos. También había muchas cabañas pequeñas en la playa. Detrás de los edificios, había una vista hermosa del mar Pacífico.

Laney, Jake y Desi caminaron al edificio de la administración. Allí, una mujer les dio mucha información sobre el campamento.

– La práctica empieza a las ocho todos los días menos el domingo, que es día libre. También tienen tiempo libre después de la cena a las siete. Pueden mirar la tele o jugar al pin–pon.

> Pueden ir a la playa, pero no pueden ir solos. El uso de celulares y computadoras está prohibido.

La mujer también les explicó que había cabañas para las chicas y cabañas para los chicos. Laney y Desi tenían una cabaña juntas. Laney sonrió porque estaba feliz de estar con Desi. De repente, Laney se puso un poco nerviosa. Mazatlán no estaba muy cerca de Norman, Oklahoma. Y *¡¿Los teléfonos estaban prohibidos?!*

La mujer notó los nervios de Laney y le preguntó:

– ¿Quieres escribir un email a tu familia para decirles que llegaste bien?

Laney le dijo que sí y empezó a escribirle un email a su padre. Quería escribir mucho, pero Desi la estaba esperando, así que Laney escribió un email breve y luego las dos chicas fueron a buscar su cabaña.

Tenían la cabaña número 23. Estaba en la playa, cerca del mar. Cuando ellas entraron, Laney vio dos camas y una ventana. La ventana no tenía cristal, aunque sí tenía una cortina. La cortina era azul y vieja. No había luz eléctrica. Había una candela en una mesa pequeña. Desi miró por la ventana.

– ¡Qué hermosa la vista! –ella exclamó dejándose caer en la cama–. Uy y ¡qué cómoda la cama! Creo que es la hora de descansar, ¿no?

Desi parecía tranquila y cansada. En un minuto ya estaba dormida. Laney se sentía muy nerviosa sobre la cabaña. ¿Cómo podría dormir en una cabaña que no tuviera[1] cristal en la ventana? ¿Cómo podría vivir sin luz eléctrica?

[1]*que no tuviera - that didn't have*

Laney miró por la ventana y por fin, se dejó caer en la cama. Desi no tenía razón. La cama no le parecía cómoda. Le parecía una roca. Sin embargo, ella se durmió porque estaba muy cansada.

Después de una hora de descanso, las chicas se despertaron. Cuando Laney se despertó, se sentía un poco más tranquila. Probablemente Mazatlán no estaba tan mal. La cabaña era diferente, pero no terrible. La ventana no tenía cristal, pero tenía una vista hermosa. No tenía luz eléctrica, pero no iba a pasar mucho tiempo en la cabaña. ¡Iba a jugar al fútbol todos los días! La vida iba a ser perfecta. Ahora Laney quería comer.

– Desi, ¿vamos a buscar comida? Tengo que comer.

– ¡Claro! –exclamó Desi.

Ella saltó de la cama y se puso los zapatos

– ¡Vamos! –gritó Laney y las dos salieron felices.

Capítulo 5
Los tres mosqueteros

Durante la primera semana del campamento, todos los jugadores jugaron juntos. La práctica era fantástica, pero el tiempo libre era aún mejor. En Oklahoma, Laney no tenía mucho tiempo libre porque tenía que ir a la escuela y trabajar. Pero en Mazatlán, Laney podía nadar en el mar, jugar al pin-pon y pasar tiempo con sus nuevos amigos.

El domingo, Laney, Desi y Jake salieron para ver más de Mazatlán. Había edificios viejos de muchos colores. Unos edificios tenían apartamentos y tiendas juntos. Esto era diferente a Oklahoma. Normalmente en Oklahoma no hay tiendas y casas en un edificio. A Laney le gustaba la idea de vivir sobre una tienda.

Los jóvenes siguieron caminando. En el mar, Laney podía ver una torre alta en la distancia.

– ¿Qué es eso? –preguntó Laney.

– Eso es el Faro[1]. Es una torre de luz que ayuda a los navegantes por las noches. El Faro de Mazatlán es famoso. Yo lo vi en Wikipedia –le respondió Desi–. Tengo que sacar una foto para mi mamá.

Desi sacó su cámara y sacó una foto del Faro. Laney no tenía una cámara, pero sacó una foto mental de la torre. ¡Qué hermoso! *«El Faro»*, se repitió.

Pasaron por un mercado al aire libre[2] que se llamaba Pino Suárez. El mercado no estaba en un edificio. Era grande, y tenía comida, frutas interesantes y regalos. El mercado tenía rocas de la playa y postales con fotos de Mazatlán. Había cocos con pelo marrón. Oklahoma no

[1]*el faro - lighthouse*

[2]*un mercado al aire libre - open-air market*

tenía cocos.

Jake compró tres postales. «Para mis hermanos», les explicó. *«¡Buena idea!»,* Laney pensó, *«Mi padre quería una carta».* Y ella también compró una postal. La postal tenía una foto del Faro y decía: «HERMOSO MAZATLÁN».

Los amigos pasaron todo el día juntos y Laney estaba

más feliz que nunca. La vida en Mazatlán era perfecta.

Por la tarde, Laney estaba jugando al pin-pon con Jake cuando, de repente, notó un chico muy guapo. El chico estaba sentado en un sofá hablando con unos amigos. Laney creyó que el chico la miraba a ella.

– ¿Quién es él? –le preguntó a Jake–. Mira, el chico moreno con la camiseta azul y roja. ¿Lo conoces?

Jake no sonrió.

– Si, lo conozco. Se llama Luis Hernández. Su padre es el dueño del campamento. Como dueño, el Sr. Hernández toma decisiones sobre el dinero del campamento. Es muy rico.

– Pero, ¿Qué piensas de Luis? –preguntó Laney–. Tú practicas con él, ¿no?

– Es un jugador bueno, pero nada extraordinario. Sin embargo, siempre está en el mejor equipo porque su padre es el dueño del campamento. Me parece un poco arrogante –le respondió Jake–. ¿Podemos volver al partido de pin-pon? Yo quiero jugar.

Ellos jugaron, pero Laney no se concentró en el partido. Siguió mirando a Luis. El chico era muy guapo. No le parecía arrogante. A Laney le gustaban sus ojos hermosos. De repente, Luis notó que Laney estaba mirándolo y le sonrió a ella. Laney jugaba con su pelo y le sonrió a él también. Laney siguió mirándolo y la pelota de pin-pon se cayó de la mesa.

Esa noche, Laney no pudo dormir. Trató y trató pero no se durmió. En la cama de al lado, Desi ya dormía. Laney oyó su respiración y sentía un poco de envidia; Desi nunca había tenido[3] problemas para dormir.

Laney miró por la ventana y vio la luna blanca en la noche negra. La luna estaba brillante y la playa era hermosa a la luz de la luna. Mazatlán era hermoso. Todo parecía muy tranquilo. ¿Por qué no dormía? Laney cerró los ojos otra vez.

De repente, Laney oyó un sonido extraño. Abrió los ojos. Miró a Desi. No, el sonido no era Desi. Desi todavía dormía tranquilamente. Otra vez, oyó el sonido. El sonido era muy suave. Parecía una persona llorando. ¿Un

[3]*nunca había tenido - she had never had*

[4]*voz baja - soft or low voice*

niño? No... Parecía más una mujer que lloraba.

– ¿Desi? –dijo Laney en voz baja[4].

– ¿Mm? –dijo Desi media dormida[5]–. ¿Qué?

– ¿Oyes un sonido, Desi?

– No. Probablemente sea[6] el viento. Trata de dormir, Laney. Tenemos las audiciones para los equipos mañana.

Laney cerró los ojos otra vez. Desi tenía razón. Las audiciones eran muy importantes. Las audiciones decidirían los equipos para el resto del verano. Además, no oía el sonido ahora. Probablemente era el viento. Laney no tenía miedo. Cerró los ojos y finalmente se durmió.

[5]*media dormida - half asleep*
[6]*sea - it is*

Capítulo 6
¡Audiciones!

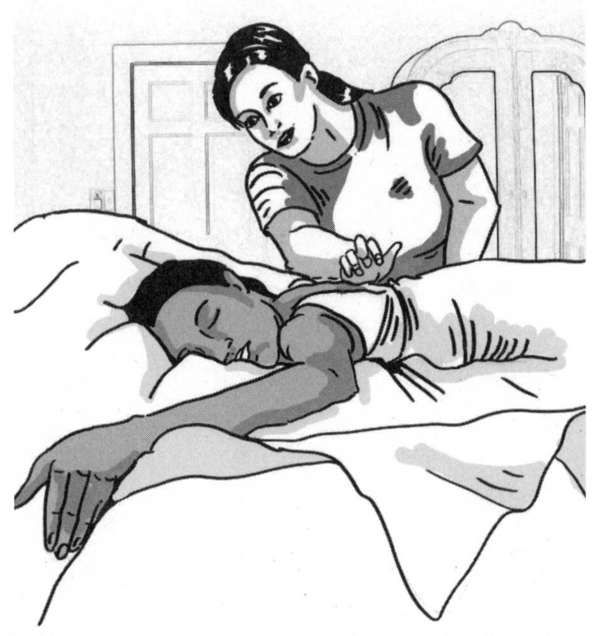

Al día siguiente, Laney se despertó a las siete de la mañana. Estaba emocionada por las audiciones, pero nerviosa también. Laney esperaba estar en el equipo de las más talentosas, las Mantarrayas. Normalmente, las atletas en este equipo recibían mucha atención de las universidades. Aunque los otros equipos eran buenos también, Laney esperaba ser una Mantarraya. Y por eso, necesitaba una audición perfecta.

Se levantó rápidamente y se puso la ropa. Se puso una camiseta de fútbol, los pantalones y los zapatos de fútbol. Ahora quería desayunar.

Laney se acercó a la cama de Desi. Tocó el brazo de Desi y le dijo:

– Desi, ¡levántate! ¡Hoy es el día de las audiciones para los equipos! Estoy muy nerviosa. Tengo que desayunar o voy a vomitar.

Desi le respondió *«Mrrhmmm»* y Laney notó que a Desi no le gustaban las mañanas.

– ¡Desi! ¡Levántate! Vamos a llegar tarde –repitió Laney.

Desi abrió los ojos lentamente y extendió los brazos. Cerró los ojos y los abrió otra vez.

– Ay, Laney –le dijo–. Sí, vamos a desayunar.

Después del desayuno, las chicas fueron al campo de fútbol para correr. Las atletas de fútbol tienen que correr rápidamente una gran distancia. Laney miró al otro campo donde practicaban los chicos. Laney vio a Jake; corría rápidamente y jugaba bien. Luego, Laney vio a Luis Hernández. Luis era muy talentoso y muy guapo.

El momento de las audiciones para los equipos llegó. Laney trató de concentrarse en el fútbol. Trató de no pensar en Luis. Las chicas tenían que correr por un periodo en el campo y hacer diez movimientos de fútbol. Luego, las chicas tenían que pegarle a la pelota con la cabeza y meter un gol.

Desi estaba en el primer grupo de chicas. Ella corrió muy rápidamente y pasó por los diez movimientos con solo un pequeño error. Se acercó al gol y le pegó a la pelota con la cabeza. Fue una audición excelente.

– ¡Buen trabajo, Desi! ¡Excelente! –le gritó Laney a su amiga.

Diez chicas más hicieron sus audiciones, y luego fue el turno de Laney. Laney estaba muy nerviosa. Las Mantarrayas, las Mantarrayas, ella se repetía en la cabeza. Hizo sus movimientos de fútbol más o menos bien, con solamente uno o dos errores. Ahora tenía que meter el gol con la cabeza. Laney se acercó al gol. Vio la pelota en el aire. La pelota se acercó y se acercó. Laney saltó… y detrás de la pelota vio a Luis Hernández. ¡Él miraba su audición! Laney se puso nerviosísima. Se concentró en Luis y no en la pelota y al instante, ¡PUM! La pelota le pegó a Laney directamente en la nariz.

– ¡AY! –gritó cerrando los ojos.

Laney se cayó al suelo horrorizada.

– ¡Laney! ¿Estás bien? – gritó Desi. Ella corrió hacia Laney–. Te duele la nariz, Laney? ¿Te duele la cabeza? –le preguntó.

– Qué desastre... –respondió Laney.

No abrió los ojos. Después de todo, no iba a estar en el equipo de las Mantarrayas. Y por un chico tonto... Laney estaba enojada y avergonzada. Ella quería llorar, pero estaba muy avergonzada de llorar en frente de las otras atletas. Corrió a la cabaña, y Desi la siguió.

En la cabaña, Laney se dejó caer en la cama totalmente frustrada.

– ¡Qué idiota soy! ¡No lo puedo creer! –gritó.

– Ay, Laney, no eres idiota. No pasa nada. Tu audición no fue tan mala –dijo Desi.

Ella trataba de ayudar a su amiga, pero Laney la ignoró. Estaba avergonzada y frustrada con todo.

Capítulo 7
Un día de sorpresas

Al día siguiente, las listas de los equipos estaban en las puertas de la cafetería. Desi corrió a las puertas para ver. Laney caminó lentamente. Ella ya sabía que no era una Mantarraya. Estaba avergonzada y enojada.

– Laney, ¡ven aquí! ¡Rápido! –le gritó Desi.

Laney corrió hacia su amiga.

– ¿Qué pasa?

– Laney, ¡eres una Mantarraya! ¿No es el equipo que querías?

Laney no lo podía creer. ¿Cómo era posible? ¡Su audición fue horrible! Empezó con dos errores y la pelota le había pegado[1] en la nariz. Laney se tocó la nariz. Todavía le dolía.

– ¿Yo? –preguntó con voz confundida–. Es un error. No puede ser, mi audición fue horrible.

– ¡Mira la lista! Allí está –le respondió Desi.

Laney miró la lista de equipos, y vio LANEY MORALES en la lista de las MANTARRAYAS. Laney saltó en el aire.

[1]*le había pegado - it had hit her (on the nose)*

– ¡Uaju! –gritó Laney–. Desi, ¿en qué equipo estás tú?

– Yo estoy en las Barracudas –le respondió Desi con voz desilusionada.

– Pero tu audición fue fenomenal. Las Barracudas tiene que ser un equipo excelente también.

– Sí, claro, un equipo fantástico –respondió Desi.

Trató de sonreír, pero no parecía feliz. Laney estaba confundida y se preguntó: *«¿Por qué yo tengo una plaza en las Mantarrayas y Desi no? Desi tuvo una mejor audición...»*. Laney trató de no pensar en eso.

Laney y Desi entraron en la cafetería para desayunar. Agarraron dos platos de comida y se sentaron, pero Laney se sentía extraña. Tenía los pelos de punta, como si una persona la estuviera[2] mirando. Laney miró hacia la cafetería pero no pasaba nada extraño.

Luego, Laney miró detrás de ella, y vio que realmente había una persona mirándola. Luis Hernández estaba sentado en una mesa cerca de la puerta con tres chicos y dos chicas de los mejores equipos. Luis no estaba comiendo su desayuno. Miraba a Laney con la expresión intensa de un tigre.

[2]*como si una persona la estuviera (mirando) - as if a person were (watching) her*

Cuando Laney lo miró, Luis le sonrió con una sonrisa romántica. Laney le sonrió a él también. Luis la miró misteriosamente y le guiñó un ojo[3]. Laney estaba un poco avergonzada por flirtear en frente de todos, pero Luis era muy guapo.

[3]*le guiñó un ojo - he winked at her*

– Ummm... perdóname un minuto, Desi, quiero agua.

Laney se levantó y se acercó casualmente a la mesa de Luis. No miró a Luis. Cuando ella se acercó, Luis se levantó.

– Buenos días –dijo el joven con voz misteriosa.

– Ummm... ¿Qué tal? –le respondió Laney.

– Me llamo Luis Hernández.

– Soy Laney. Laney Morales.

– Yo sé quién eres. Te vi en las audiciones –dijo Luis.

– Ay... qué desastre... –dijo Laney, tocándose la nariz.

– No, te vi, tú jugaste muy bien. Tú eres talentosa en el fútbol. Esa fue la razón por la que yo le dije a mi padre que te diera una plaza[4] en el equipo de las Mantarrayas.

– ¿Qué? –exclamó Laney.

– No me des las gracias, Laney. Mi padre es el dueño del campamento. No fue difícil encontrar una plaza para ti en el equipo. Tú eres la chica perfecta para las Mantarrayas –le respondió Luis.

[4]*yo le dije...que te diera una plaza - I told him to give you a spot*

Laney se puso roja. Se sentía muy nerviosa y no sabía qué decir.

– Pues, ummmm... tengo que irme, ya estoy sentada con una amiga. ¡Hasta luego!

Laney volvió rápidamente a la mesa con la cara roja. Trató de no mirar a Luis.

Esa noche, a las ocho, Laney y Desi volvieron a la cabaña. Laney pensaba en los eventos del día y estaba completamente feliz. Tenía una plaza en las Mantarrayas. ¡Luis Hernández pensaba que ella era una jugadora talentosa! De repente, Desi empezó a hablar:

– Laney, te vi con Luis Hernández hoy.

– ¡Sí, yo sé! –exclamó Laney–. ¿Lo conoces? Es súper-guapo, ¿no? Él dijo que soy la chica perfecta pa'...

– Sí, lo conozco –interrumpió Desi–. Luis Hernández es el bruto más feo del mundo. Es un esnob y es arrogante. Hay muchos chicos mejores en el campamento para ti.

– Ay, Desi, parece que no te gusta Luis para nada. ¿Es tan horrible? Es bien guapo –dijo Laney, confundida.

– Luis es mi exnovio. Fue mi novio el verano pasado. –le explicó Desi con voz enojada.

– ¿¡Tu exnovio!? –le respondió Laney sorprendida.

– Sí, Luis es mi exnovio. Es un jugador.[5] Me trató muy mal. No hables con él, ¡ni siquiera[6]

[5]*un jugador - a player: slang term used to describe a male who 'plays the field' or is a 'womanizer'*

[6]*ni siquiera - don't even*

lo mires! –respondió Desi en voz alta y enojada.

«¡Qué envidiosa!», pensó Laney un poco enojada. Pero no se lo dijo a Desi. Solo le respondió:

– Desi, no soy una niña. Yo puedo tomar decisiones sobre los chicos. Luis es mi amigo. Nada más. ¿Eres tú mi amiga? –preguntó Laney.

Desi parecía frustrada.

– Claro que soy tu amiga, Laney. Por eso te digo que Luis es un bruto. Yo no quiero que tengas problemas con él. Y si tú eres mi amiga, ¡no flirtees con mi exnovio!

– Pues, si tú eres mi amiga, ¡no me digas qué hacer! –Laney exclamó y enojada, salió de la cabaña.

Capítulo 8
Una evaluación de intenciones

Ya era de noche cuando Laney salió de su cabaña. Se sentía mal por haberle gritado[1] a Desi, pero defendió sus emociones. *«¡Desi no puede decirme qué hacer con los chicos!»*, pensó ella.

Laney caminó por la playa por unos minutos. En la noche, la playa era hermosa. La luna brillaba como un diamante en la noche. El agua brillaba también. Todo estaba callado. Ahora Laney se sentía más tranquila. Pasó por el edificio de la administración y la zona de cabañas y llegó a una parte de la playa donde no había nada.

Tenía los pelos de punta[2], como si una persona la mirara. Laney miró hacia la playa, pero no había nadie.

De repente, Laney miró detrás de ella, y vio a una persona a la distancia. La persona se acercaba. Laney no se movió. ¿Quién era? Laney tenía miedo. Oyó la voz de su padre en su cabeza... *«No camines sola por las noches»*, le dijo él. ¿Por qué no lo escuchó?

[1] *por haberle gritado - for having yelled at her*
[2] *pelos de punta - hairs standing on end*

La persona se acercó y se acercó. Laney abrió la boca para gritar...y vio que era Luis Hernández. Laney respiró y exclamó:

– ¡Luis! ¿Qué haces aquí? Me asustaste.

– Perdón, Laney –le respondió Luis, dándole una sonrisa–. No soy un espíritu. Me gusta caminar por las noches a veces. Parece que a ti también te gusta... El mar es tan tranquilo, ¿no?

– Sí, es muy hermoso –le respondió Laney.

– Como tú. –le dijo Luis románticamente.

Laney se rio. Se sentía incómoda. No sabía si era parte de la cultura mexicana o si le daba piropos[3]. No sabía cómo responder, así que no le respondió. Ellos caminaron en silencio durante unos minutos, y luego se sentaron en la playa.

– Pues, Laney, si nosotros vamos a ser amigos,

[3] *le daba piropos - he was giving her (flirtateous) compliments*

tengo que saber más de ti –dijo Luis–. ¿De dónde eres?

– Soy de Oklahoma.

– O, ¿sí? ¿Tú vas en caballo[4] a la escuela? –Luis se rio.

Laney se rio también.

– No, tonto, tenemos autos.

Laney le habló de su vida, su padre, Norman High y su equipo de fútbol. Le habló de Oklahoma, del viento y de los ríos feos. No le dijo sobre su trabajo en la heladería. No quería decirle a Luis que tenía que trabajar para tener dinero, especialmente no con el helado en el pelo.

Laney estaba un poco avergonzada porque ella no tenía dinero como Luis.

Luego Luis le dijo de su vida en México. Era una vida muy diferente a la vida de Laney. Vivía en la capital, una metrópoli de más de ocho millones de personas. Laney no podía imaginar un pueblo tan grande. Luis tenía una casa grande, un automóvil elegante y dinero. Su familia era grande también; él tenía tres hermanos y dos hermanas.

[4]*vas en caballo - you go by horse*

Era interesante tener un amigo de otro país. Cuando Laney escuchaba a Luis, Oklahoma parecía otro planeta. Todo era diferente aquí. Laney podía escapar de su vida normal y vivir una vida especial. Le gustaba escuchar a Luis.

Después de unas horas de hablar, Laney volvió a la cabaña. Era muy tarde, y tenía que despertarse a las siete para la práctica.

– Buenas noches, Luis –le dijo Laney y le sonrió.

Luis le besó la mano.

– Buenas noches, Laney.

Laney se puso roja, pero era de noche y Luis no la vio. Los chicos de Oklahoma nunca besaban las manos de las chicas. ¿Eso también era típico de México?

Laney volvió a la cabaña. Estaba emocionada por los eventos del día, pero trató de dormir. Cerró los ojos. Por un momento, creyó oir el sonido de una persona en la playa. La persona lloraba. Qué ridículo, pensó Laney. Probablemente era una chica que tenía miedo de la noche. Trató de ignorar el sonido y se durmió.

Capítulo 9
La envidia

Al día siguiente, Laney y Desi fueron a la cafetería para el desayuno. Desi parecía un poco enojada, pero Laney trató de actuar como si todo fuera normal.

Las chicas tomaron dos platos de comida y se sentaron en su mesa usual con Jake y otros amigos. Laney se levantó y volvió a la línea para tomar una fruta.

– Buenos días, guapa –dijo una voz detrás de Laney.

– Hola, Luis –Laney le respondió, incómoda.

– Ven a mi mesa y siéntate con mis amigos –le dijo Luis.

– Pues… ya estoy sentada con unos amigos...

Laney miró a Desi. Desi los miraba a ellos con una expresión enojada. Laney se preguntaba por qué a Desi no le gustaba para nada Luis. Luis no le parecía ni bruto ni cruel. Tampoco le parecía un jugador. Luis trataba muy bien a Laney. Le daba piropos y la trataba con mucha cortesía. Además, era muy guapo y romántico.

Laney tomó una decisión. Tomó su fruta y caminó a la mesa de Luis. Luis le sonrió. ¡Qué guapo era! Laney se sentó muy cerca de él y curiosamente le preguntó:

– Luis, ¿hay alguna razón por la qué tú no le gustas a Desi? Ella dice que tú eres esnob, pero a mi no me pareces esnob.

– Desi tiene un problema con las personas ricas. Ella es una persona envidiosa. Ella era mi novia el año pasado, pero luego ella dijo que yo era un esnob porque tengo dinero. Yo estuve triste, pero así es la vida. Muchas personas son envidiosas –le respondió Luis.

Laney miró los ojos de Luis y observó que sus ojos realmente parecían tristes. *«Qué extraño»,* pensó Laney. Desi no dijo que ella lo había dejado. Pues, era posible. Desi dijo cosas muy malas de Luis. Era posible que fuera envidiosa. Laney miró a Desi y Jake. Ellos parecían enojados de que Laney se fuera abruptamente. Ella trató de ignorar a sus amigos por el resto del desayuno.

Las chicas jugaron con sus equipos todo el día. La práctica con las Mantarrayas era difícil; las chicas aquí eran muy talentosas. En el equipo de Norman High, Laney era la mejor, pero en el equipo de las Mantarrayas, no era la más talentosa. Laney practicó mucho. Corrió mucho y trabajó mucho.

Después de dos horas, las chicas tenían un poco de tiempo para beber agua. Laney vio a Desi y se acercó a ella para hablar.

– Ummm... hola, Desi. ¿Qué tal la práctica? ¿ Te va bien con las Barracudas? –le preguntó Laney.

Desi no le dijo nada. Ella miró al suelo y siguió bebiendo agua. Después de un momento, se fue. Laney estaba triste, pero trató de no pensar más en su amiga. Ahora Laney tenía un novio guapo y una plaza en las Mantarrayas. La vida era perfecta, con Desi o sin Desi.

Esa noche, Laney tuvo una pesadilla[1] terrible. Soñó con Desi. Desi estaba en la playa, llorando. En el sueño, Desi llevaba un vestido largo y elegante. Laney trató de acercarse, pero cuando se acercó, Desi se transformó en una mujer vieja. La mujer era vieja y fea y lloraba en voz alta. Cuando Laney se acercó más, se dio cuenta de que la mujer tenía los ojos de Desi. La mujer gritó y extendió una mano hacia la cara de Laney…

Laney se despertó. Miró a Desi al otro lado de la cabaña. Desi dormía tranquilamente. Otra vez, Laney tuvo envidia. ¿Por qué no dormía también?

Laney miró por la ventana. La luna le parecía extraordinariamente brillante esta noche, y hacía mucho viento. El viento movió las cortinas. Laney pensó que el viento parecía una persona que lloraba. Sintió un poco de miedo. Quería despertar a Desi... pero ahora Desi no era su amiga.

¿Era posible que el sonido fuera su imaginación? Se puso la chaqueta sobre la cabeza y trató de dormir. Laney no se sentía muy tranquila, pero estaba muy cansada. Después de unos minutos, se le cerraron los ojos y se durmió.

[1]*pesadilla - nightmare*

Capítulo 10
La pulsera

Los días siguientes, la práctica fue difícil. Laney estaba muy cansada por no dormir bien. Corría más lentamente y no podía meter un gol para nada.

Pero aún así, Laney estaba contenta en el campamento. Laney tenía muchos amigos nuevos ahora que era la novia de Luis. Ella era muy popular. Además, a ella le gustaba pasar tiempo con Luis. Ellos comían juntos, miraban la tele y nadaban en el mar.

El viernes, después de la cena, Laney y Luis fueron a la playa para nadar. Eran las ocho de la noche, pero las noches llegaban muy tarde en Mazatlán en el verano. El sol todavía brillaba. El mar era muy hermoso y Laney y Luis lo miraban en silencio.

De repente, Luis sonrió y le tocó el brazo a Laney.

– Laney, tú eres una chica fantástica. Eres hermosa, inteligente y talentosa.

Laney se puso roja y no dijo nada. No sabía qué decir. Luis siempre la ponía incómoda con sus piropos.

– Tengo un regalo para ti. Lo compré especialmente para ti –le dijo Luis románticamente.

Luis sonrió y sacó un objeto pequeño. El objeto era una pulsera, una pulsera muy brillante. La pulsera era de oro y tenía la forma de una pelota de fútbol.Tenía muchos diamantes brillantes. Era realmente hermosa. Laney estaba muy sorprendida. ¡Qué romántico!

Luis puso la pulsera en el brazo de Laney, y luego la besó románticamente. Laney estaba muy feliz y se fue a su cabaña pensando en su nuevo novio romántico.

Ya era tarde cuando Laney llegó a su cabaña. Estaba muy cansada. Pensaba en Luis y rápidamente se durmió todavía sonriendo.

Poco tiempo después, Laney tuvo un sueño, pero no soñó con Luis. Soñó con la pulsera. En su sueño, ella iba a la playa para encontrarse con Luis, pero se dio cuenta de que ¡la pulsera no estaba en el brazo! Corría por el campamento buscándola. ¿Dónde podría estar? Laney corrió por los edificios del campamento y luego corrió por la playa buscándola. La buscaba en la playa cuando de repente, vio a una mujer. ¡Era la mujer vieja! La mujer llevaba un vestido largo y elegante. Ella lloraba muy fuerte, pero... ¡Qué extraño! La mujer lloraba lágrimas[1] de diamantes. Y en la mano, tenía la pulsera de oro.

[1]*lágrimas - tears*

«¡Esa es mía!», gritaba Laney en el sueño. Ella trató de agarrar la pulsera, pero la mujer empezó a gritar con una voz terrorífica.

Laney se despertó asustada. Miró su brazo. Todavía tenía la pulsera de oro. Todo estaba normal… aunque a la distancia, Laney oyó un sonido extraño. Laney lo escuchó atentamente y se dio cuenta de que otra vez era el sonido de la mujer llorando. Le parecía la voz de la mujer de sus pesadillas.

Laney se levantó y fue a la ventana para oír mejor. ¿De dónde venía el sonido? El sonido era más fuerte aquí. Laney miró por la ventana, miró toda la playa. Había palmas y rocas. El agua estaba hermosa por la noche. Parecía negra y la luna brillaba en el agua como un diamante.

Sin embargo, no vio a ninguna mujer, llorando o no. No vio a ninguna persona en la playa. Solo vio palmas y rocas, y ellas no lloraban. Se le pusieron los pelos de punta. Laney cerró las cortinas de la ventana. ¡Qué ridículo! Una cortina no era una protección de nada. Laney pensó en su apartamento pequeño en Oklahoma. Al menos allí sus ventanas tenían cristal....

Laney tenía miedo. Si no había una mujer, ¿de dónde venía el sonido?

En ese momento, hacía mucho viento. El viento estaba frío y movió la cortina de la ventana de Laney. Laney se asustó cuando oyó claramente *«Mis hijos...mis hijos...»*. Luego, Laney no lo oyó más. Solo oyó los sonidos del mar en la playa y de la respiración de Desi.

Aún así, Laney no podía dormir. Ella estuvo despierta toda la noche.

Capítulo 11
Terror en la noche

Por la mañana, Laney estaba más cansada que nunca. Ella todavía estaba despierta cuando Desi se despertó. La situación en la cabaña era muy tensa ahora que Desi y Laney no eran amigas.

De repente, Desi le habló. Laney estaba sorprendida. Desi no le había hablado[1] a ella en tres días.

– Laney, ¿qué es eso? –le preguntó Desi–. Esa pulsera de oro. Es nueva, ¿no?

Laney miró la pulsera de oro. Era muy hermosa. Los diamantes brillaban a la luz del sol.

– Ummm… sí –dijo Laney–. Es nueva. Es un regalo de... mi padre. Sí, mi padre me la dio. Me la dio con una carta –dijo nerviosamente...porque era una mentira.

– Qué extraño –Desi le respondió–. Es idéntica a una pulsera de oro que Luis me dio el verano pasado. Me dio esa pulsera cuando yo era su novia.

Desi la miró intensamente. Hablaba en voz alta. Era

[1] *No le había hablado - she had not talked*

claro que no creyó en la mentira de Laney. Laney se puso roja.

– Sí, Desi, es muy extraño –le dijo. Trató de no mirar a Desi.

– Tan extraño... –siguió Desi– que ¡no lo creo! ¡Mentirosa! Tú recibiste esa pulsera de Luis. ¡Él es un bruto total! Y tú, Laney Morales, tú eres una mentirosa y una amiga falsa.

– ¡Tienes envidia! –le gritó Laney–. Tienes envidia de mi relación con Luis.

– ¡No lo puedo creer! ¿Yo tengo envidia? No puedo más. Me voy a vivir a la cabaña de otra amiga. Una amiga real. Desi agarró ropa y unas cosas y salió corriendo de la cabaña.

Durante la práctica, Laney no podía concentrarse en el fútbol. ¿Luis realmente le había dado[2] una pulsera idéntica a Desi? ¿O Desi había dicho[3] mentiras porque tenía envidia? Laney trató de jugar, pero fue horrible. Corrió lentamente y no pudo hacer nada con la pelota. Una vez, hasta se cayó al suelo. Se sentía avergonzada.

Esa noche, Laney quería hablar con Luis, pero después de la cena él dijo que estaba cansado y quería des-

[2]*le había dado - he had given her*

[3]*había dicho - she had told*

cansar. Además, había una tormenta en la playa. No era una noche buena para caminar.

Laney volvió a la cabaña pero Desi no estaba. Laney se sentía sola y no podía dormir para nada. Trataba y trataba de dormir, pero no podía. En la playa, la tormenta estaba fuerte. Hacía muchísimo viento, y el viento movía la cortina de la ventana. El viento estaba frío. De repente, Laney oyó el sonido misterioso de la mujer llorando. *«¿Qué es ese sonido?»* pensó Laney. *«¿Estoy soñando otra* vez?»

Laney se levantó y fue a la ventana. La noche estaba completamente negra por la tormenta. No podía ver la luna. Miró el mar y la playa. ¡Allí! Sentada en la playa, con la cabeza en las manos, había una mujer alta y flaca que llevaba un vestido largo y blanco. La mujer lloraba y lloraba. Ahora que Laney estaba un poco más cerca, podía oír mejor.

> – ¡Ay, mis hijos! –lloraba la mujer–. ¿Dónde están mis hijos?

«¿Sus hijos?», pensó Laney. *«¡Pobre mujer!».* La mujer estaba sola y no sabía dónde estaban sus hijos. Y pobres niños, solos en la playa por la noche. Por eso la mujer estaba llorando. La mujer necesitaba ayuda. Laney se puso los zapatos y una chaqueta y salió de la cabaña.

En la playa, Laney podía ver a la mujer claramente. La mujer era alta y flaca. Era tan flaca que parecía un esqueleto. Laney pensó que tal vez la mujer estaba loca o drogada. Laney tenía miedo, pero se acercó un poco. Esperó un minuto para observar a la mujer y poco a poco se le acercó.

Laney pensó que la mujer no era normal. Parecía un esqueleto y llevaba un vestido extraño también. El vestido de la mujer era largo, viejo y elegante y brillaba con una luz sobrenatural. Toda la mujer brillaba con la luz: su vestido blanco, su pelo blanco, sus brazos. Su piel brillaba como la luna. *«¡Qué extraño!»* pensó Laney.

Se acercó, y se acercó. Ahora Laney estaba más o menos cerca de la mujer, pero la mujer no se movía. La mujer solo lloraba, lloraba mucho. *«¡Ay, mis hijos! ¡Mis hijos!»,* repetía.

– ¿Señora? –dijo Laney con una voz suave–. ¿Señora? ¿Todo está bien?

La mujer no respondió, así que Laney repitió más fuerte:

– ¿Está bien?

La mujer todavía no respondió, así que Laney nerviosamente se acercó un poco más.

– ¿Señora? ¿Puedo ayudarla? ¿Qué pasó con sus niños? –le preguntó Laney.

Laney quería salir corriendo, pero extendió la mano para tocarle el brazo a la mujer y le dijo con voz nerviosa.

– ¿Señora?

De repente, la mujer movió la mano y agarró el brazo de Laney, donde llevaba la pulsera de oro. La mano blanca de la mujer era fuerte, pero extraña. La mano no era como una mano de una persona o un esqueleto. Parecía un viento frío, muy frío. Laney trató de mover su brazo pero la mano era fuerte. Laney tenía miedo.

La mujer movió la cabeza para mirar a Laney, y de repente, Laney miró la cara de la mujer. La mujer no tenía ojos. Ella tenía dos espacios negros, muertos y vacantes.

– ¿DONDE ESTÁN MIS HIJOS? –gritó la mujer con una voz horrorosa.

Laney gritó y agarró su brazo con la otra mano para escapar de la mujer. Laney corrió hacia su cabaña, pero la mujer la siguió. A Laney le entró pánico y corrió tan rápido como pudo hasta que llegó a la cabaña. Entró y cerró la puerta fuertemente.

La mujer no entró en la cabaña, pero por la ventana, Laney podía oír la tormenta y la voz sobrenatural de la mujer. Ella se dejó caer en la cama, todavía con los zapatos y la chaqueta, y lloró. Lloró y lloró pero no se durmió porque tenía muchísimo miedo. Ella temblaba de miedo y tenía nauseas. No quería estar sola, pero no quería salir de la cabaña ni ver a la mujer tampoco.

«¿Por qué quise venir a México?», pensó Laney. *«Al menos en Braums' no hay espíritus. Al menos en Oklahoma yo tengo amigos»*.

Laney siguió llorando y temblando, pero no se durmió. Se puso la chaqueta sobre la cara y esperó la mañana.

Capítulo 12
Tía Marta

Cuando la mañana llegó, Laney caminó lentamente a la cafetería. Estaba cansada. Le dolía la cabeza. No había dormido[1] en toda la noche. Tenía miedo. Ella que-

[1]*No había dormido - she hadn't slept*

ría hablar de su experiencia con Luis. Empezó a caminar a su mesa. De repente, notó que una chica rubia ya se había sentado[2] muy cerca de Luis. La chica sonreía, jugaba con su pelo y le tocaba el brazo a Luis. Luis le sonreía a la chica y le tomó la mano. Los dos flirteaban.

Laney abrió la boca, pero no dijo nada. No sabía qué decir. Estaba confundida y enojada. ¿Por qué Luis había tomado[3] la mano de la otra chica? Laney notó que la chica rubia era hermosa. Posiblemente ella fuera más hermosa que Laney.

¿Quién era esa chica? ¿No era Luis el novio de Laney? Luis le dio piropos, le dio la pulsera, la besó en la playa. ¿Y ahora estaba con otra chica? ¡Qué bruto! ¡Qué mentiroso! Laney se sentía enojada y confundida. Además, se sentía avergonzada. Se dio cuenta de que Desi tenía razón: Luis era un jugador y un bruto terrible.

Miró la mesa de Desi. Desi comía con dos chicas de las Barracudas, Jake y otros jóvenes que Laney no conocía. Desi todavía parecía enojada. Laney se dio cuenta de que ella no podía sentarse con sus amigos. No tenía ningún amigo con quien hablar. Frustrada, salió de la cafetería.

[2]*había sentado - she had sat*
[3]*había tomado - he had taken*

Como era domingo, los atletas tenían su día libre. Laney no sabía qué hacer. No tenía amigos, y parecía que no tenía novio. Estaba sola, y todavía tenía miedo de la mujer loca. ¡La mujer la tocó! Quería llorar.

Laney volvió a su cabaña. Desi no estaba. Laney se dejó caer en la cama, frustrada. Agarró las cartas de su padre y las miró otra vez. Miró la foto de ella y su padre en un partido de fútbol de Norman High. De repente, un papel cayó en la cama. Laney lo miró. Era la dirección de su tía abuela Marta, con su número de teléfono. *«¡Ajá!»*, exclamó Laney. No tenía amigos, pero sí tenía familia. Y su problema con la mujer sin ojos realmente era una emergencia. Laney caminó al edificio de la administración para llamar a su Tía Marta.

– ¿Alo? –dijo una mujer vieja.

– Buenas tardes, Tía Marta. Soy yo, Laney. Tengo un poco de tiempo libre hoy y quería verla a usted.

– ¡Claro! Sí, yo también quiero verte. Para llegar aquí, tienes que tomar el autobús número 355 para Ocho Ríos. Está más o menos cerca de Mazatlán.

– Gracias, Tía Marta. ¡Estoy emocionada por verla a usted!

–Y yo a ti. Ten cuidado.

Laney llegó a la casa en Ocho Ríos a la una de la tarde. Laney tocó a la puerta y una mujer abrió. La mujer le sonrió y la abrazó.

– ¡Hola, mi niña! ¡Qué alta eres! Entra, entra –dijo Marta.

Laney entró, pero no sabía qué decirle a su tía abuela. Miró la casa. La casa era muy vieja y un poco extraña. La mujer vivía sola porque no tenía hijos. No había mucha luz en la casa, solamente unas candelas. Y sobre la ventana, había una cortina que tenía una imagen de la Virgen de Guadalupe. La Virgen es una imagen religiosa importante en México. Laney pensó que probablemente su tía abuela era religiosa. Laney y Marta se sentaron en la cocina.

– Pues, niña –dijo Marta–, ¿Cómo es tu campamento?

Laney sonrió. Podía hablar de fútbol todo el día. Ellas hablaron de fútbol, del verano y de la universidad. A Laney le gustaba mucho su tía abuela.

Después de hablar mucho, Laney se dio cuenta de que eran las 4:00. Ella tenía que volver al campamento a las cinco. Se sentía muy nerviosa. No quería ver a la

mujer extraña otra vez. Tengo que preguntarle sobre la mujer, pensó Laney. Tengo que saber si ella es real o una pesadilla.

– Tía Marta, ¿Ud. cree en los espíritus? –Laney le preguntó abruptamente.

La tía Marta pareció confundida.

– Normalmente, no –le respondió–. ¿Por qué?

[4]*he tenido - I have had*

– Pues, Ud. va a creerme loca –empezó Laney–. Por varias semanas, he tenido[4] pesadillas. Sueño con una mujer vieja. Ella es muy flaca y grita con una voz horrible. Los sueños son extraños.

La tía Marta se sentía incómoda y le dijo:

– Sí, solo son pesadillas y nada más.

– Sí, sueños –dijo Laney–. Pero también por las noches hay sonidos en el viento. Oí a una mujer que lloraba. Y la noche pasada, ¡la vi! ¡Vi a la mujer de mis sueños! Estaba en la playa, cerca de mi cabaña.

La tía Marta se puso muy nerviosa.

– Laney, tranquila. Probablemente fue un sueño también. Los sueños pueden ser muy reales.

– Pero no fue un sueño. ¡Ella me tocó! Y ella me habló también. ¡Repitió, *«Mis hijos, mis hijos»!*

La cara de la tía Marta se puso blanca. No habló por unos momentos. Por fin, habló:

– Laney, tú tienes...¡la Llorona!

Capítulo 13
La Llorona

Laney tenía miedo. No sabía qué era 'la Llorona' pero se imaginaba que no era buena.

– ¿Quién o qué es la Llorona? –preguntó Laney.

– La Llorona es el espíritu de una mujer. Es una leyenda mexicana famosa, pero yo creo que es más que una leyenda. Creo que la Llorona es real.

– ¿Qué dice la leyenda? –preguntó Laney.

– Pues, niña, te digo la leyenda. Un momento.

La tía Marta se movió un poco. Se acercó un poco más a Laney y empezó a explicar la leyenda de la Llorona:

Pues...había una vez una mujer hermosa que se llamaba María. La mujer era joven y sabía que era la más hermosa de su pueblo pobre. Era morena, de grandes ojos y siempre llevaba vestidos elegantes. María quería a un hombre de su pueblo y se casó con él, pero después de dos años, su esposo murió trágicamente y dejó a María sola con sus dos hijos pequeños. Después de que su esposo murió, María nunca fue feliz. Ella no aceptó la responsabilidad de sus hijos. A María le gustaba flirtear con todos los hombres, pero no quería casarse con otro hombre del pueblo. Ella creía que los hombres del pueblo eran pobres y feos.

Un día, un hombre misterioso visitó el pueblo. El hombre era alto, guapo y rico. Llevaba una chaqueta roja y pantalones azules, decorados con oro. María pensaba que el hombre misterioso era guapo y quería casarse con él.

El hombre pensaba que María era hermosa también, y quería casarse con ella. El hombre misterioso le dio regalos de oro y ropa cara. María vio que el hombre era su oportunidad de salir del pueblo pobre. María quería escapar de su vida normal y tener una vida especial.

Pero había un problema. María todavía tenía los dos hijos de su primer esposo. Al hombre rico no le gustaban los niños. Él no quería ser padre de los hijos de otro hombre. El hombre le dijo a María que no la quería porque tenía dos niños. María estaba enojada y

frustrada con su vida.

María estaba enojada con sus hijos. Estaba tan enojada que pensó en un plan secreto y monstruoso. María hizo un plan de dejar a sus niños y escapar con el hombre misterioso.

Esa noche, a la luz de la luna, María llevó a sus niños a un río y dejó a sus niños en el agua. Los niños pequeños no sabían nadar, y aunque ellos gritaron, María no los ayudó. Ellos murieron... fue muy trágico. Los dos niños murieron en el río a manos de su mamá.

En ese momento, María se dio cuenta de que su decisión fue un horror. Ella empezó a llorar. Lloró y lloró y gritó: «¡Mis niños!». Ella estaba tan triste que saltó en el río también y murió.

Ahora, María es un espíritu torturado. Normalmente ella se encuentra cerca del agua, como los ríos o el mar. Ella camina por todo México, buscando a sus niños muertos. Por eso, ella repite mucho «¿Dónde están mis hijos?» Ahora ella se llama la Llorona, que es una mujer que llora mucho.

– ¡Ay, qué horror! –exclamó Laney.

– Sí –respondió Marta–. Fue un horror. Ella puso a un hombre en frente de lo más importante, su familia. La Llorona es como el 'boogeyman' de los Estados Unidos. Es un espíritu malo y todos los niños tienen miedo de la Llorona. Los padres les dicen a los niños que no pueden salir por las noches porque la Llorona se los va a llevar.

–Yo no entiendo. ¿Por qué la Llorona me visitó a mí? –le preguntó Laney.

–También la Llorona visita a otras personas. Hay versiones de la leyenda que dicen que La Llorona tiene que ayudar a las personas para perdonar a su espíritu. La Llorona ayuda a las mujeres cuando toman malas decisiones, especialmente las decisiones sobre los hombres falsos. Cuando ayude a muchas mujeres, el espíritu de María podrá[1] descansar. Pero puede ser una coincidencia, también. Yo no sé. Ten cuidado, niña.

[1]*podrá - she will be able*

Capítulo 14
Decisiones

En el autobús a Mazatlán, Laney pensó en la leyenda de la Llorona. ¿La Llorona realmente ayuda a las mujeres a tomar buenas decisiones sobre hombres falsos? Laney se preguntó: *«¿Por qué me visitó?»*.

Laney pensó en la situación y se dio cuenta de que tomó una decisión mala sobre Luis. Era claro que Luis era falso. Ya estaba con otra chica. ¡Qué bruto! Laney también pensó en sus amigos. Se dio cuenta de que los había abandonado[1]. Los dejó para pasar tiempo con Luis. Ella se sentía avergonzada porque al final, se dio cuenta de que ella y Luis eran muy similares. Ella admitió que sus acciones no eran honorables. Ella era una mentirosa también. *«Le dije mentiras a Desi y ¡besé al exnovio de mi amiga! Y ¿para qué? ¡Para tener un novio falso! ¡Qué tonta soy yo!»*.

Pues, si la Llorona quería ayudar a Laney con sus decisiones, Laney tenía que tomar decisiones correctas, ¡Y rápido!

[1]*había abandonado - she had abandoned*

Eran las 5:30 de la tarde cuando llegó al campamento otra vez. Laney se dio cuenta de que tenía que hablar con Luis. Ella caminó a su cabaña para hablar.

Luis estaba en la playa en frente de su cabaña jugando al fútbol con la chica rubia. Ellos parecían felices. Sonreían románticamente. Era claro que Luis ya quería una novia nueva. *«Qué persona terrible»*, pensó. Laney no estaba enojada, solo se sentía avergonzada. ¡Qué error ridículo! Laney se acercó a los dos jóvenes.

– ¡Luis! ¿Qué tal? –ella preguntó.

– Ummmmm… nada, Laney. Estoy practicando al fútbol, nada más. ¿Qué pasa?

– Muchas cosas pasaron –respondió Laney–. Me di cuenta de que tú eres un mentiroso, un bruto y un novio falso. También me di cuenta de que sería[2] mejor ser la novia de un burro que la novia tuya.

Luis, que estaba muy sorprendido, no pudo responder y no dijo nada. En este momento, Luis le pareció un poco tonto a Laney. Laney miró la pulsera de oro en su brazo. Era realmente hermosa. Por un momento, ella quería tener la pulsera, pero luego imaginó la cara monstruosa de la Llorona cuando agarró su brazo. Laney tem-

[2]*sería - it would be*

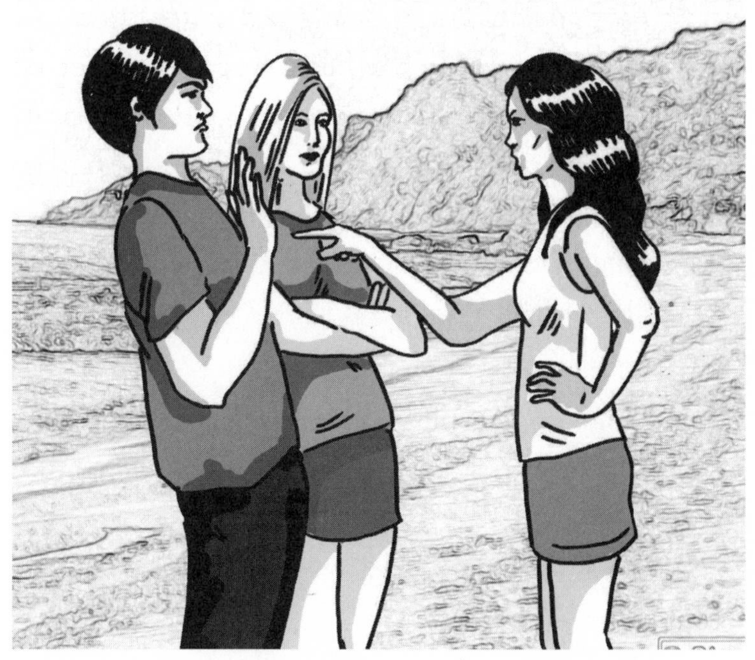

bló de pensar en la imagen.

– Además –siguió Laney–, yo no quiero ningún regalo tuyo.

Y dándole la pulsera a Luis, le dijo:

– Puede ser un regalo para tu nueva novia.

La chica rubia se puso roja y pareció incómoda. Luis todavía no decía nada. Él estaba completamente callado.

– Pues, hasta luego, Luis. Gracias por todo –le dijo Laney.

Ella se rio. Luis no se movió. Laney se rio otra vez y salió. Ahora la parte más difícil... Laney tenía que hablar con Desi. Laney caminó lentamente a la cabaña donde Desi vivía ahora. Tocó a la puerta. Desi abrió la puerta y miró a Laney. No dijo nada. Laney se sentía incómoda. No sabía qué decirle a su amiga. Nada podía perdonar sus acciones. Desi miró el brazo de Laney y le preguntó con voz sarcástica:

– ¿Qué pasó con tu pulsera?

– Creo que fue un error aceptar esa pulsera –dijo Laney–. Tú tenías razón; Luis realmente es un bruto.

– Yo sé –respondió Desi–. No quiero decir «te lo dije», pero...

– Tenías razón –dijo Laney–. Lo admito. ¿Me puedes perdonar?

Desi le sonrió y le respondió:

– Ay, creo que sí. ¿Tú viste a Luis con Sandra, esa chica rubia? Él es un jugador tan ridículo; no lo puedo creer.

Laney se rio y las chicas siguieron hablando del ex-novio hasta la noche. Luego, Laney volvió a su cabaña.

Esa noche, Laney se sentía muy nerviosa. Cerró los ojos, pero tenía problemas para dormir. *«¿Tomé la decisión correcta?»*, pensó. *«¿Fue suficiente, o La Llorona va a volver?»*.

Laney abrió los ojos y miró la luna por la ventana. De repente, la cortina se movió un poco y ella oyó el sonido de La Llorona gritando por sus hijos muertos. El sonido era horrible y la voz se acercaba y se acercaba. Laney abrió la boca para gritar, pero la voz no salió.

De repente, la puerta se abrió y La Llorona entró en la cabaña número 23. Laney se asustó al ver a la mujer con los ojos terribles. La Llorona se acercó a Laney y la agarró del brazo. Laney miró la cama de Desi, pero Desi no estaba. Laney estaba sola. La Llorona gritó con su voz horrorosa y miró a Laney con sus ojos negros y horribles.

Laney trató de gritar pero no tenía voz. La Llorona tenía a Laney agarrada del brazo. Su mano fría era muy fuerte. Laney trató de escapar de la mujer pero se cayó de la cama. Se cayó y… se despertó, gritando.

– ¡Laney! ¿Qué pasa? –preguntó Desi–. ¿Por qué gritas?

Desi estaba cerca de la cama de Laney, con una candela en la mano. Ella tenía a Laney por el brazo. Desi trataba de despertar a su amiga. Laney se asustó. Buscó por la cabaña a la Llorona pero no estaba. Laney se dio cuenta de que solo estaba soñando con la Llorona.

– Desi, ¿oyes un sonido?

– No, nada. Laney, ¿estás bien? –le preguntó.

Laney se levantó y fue a la ventana. Miró hacia la playa. Miró las palmeras moviéndose lentamente en el viento. Miró la luz blanca de la luna. Todo era hermoso y tranquilo. No había ni un sonido. Laney no oyó nada. La Llorona no estaba.

– Desi, ¿tú conoces la leyenda de la Llorona?

Laney sonrió y se sentó en la cama para explicarle la leyenda a su amiga.

Glosario

A

a - to

abandonó - she abandoned

abrazó - s/he hugged

abrió - s/he opened

abruptamente - abruptly

acciones - actions

acento - accent

aceptar - to accept

aceptaron - they accepted

aceptó - it accepted

(**se**) **acercaba** - s/he was approaching

acercarse - to approach

acercó - s/he approached

actuar - to act

acusación - accusation

además - furthermore

administración - administration

admito - I admit

aeropuerto - airport

agarrar - to grab

agarrarlos - to grab them

agarraron - they grabbed

agarró - s/he grabbed

agua - water

ahora - now

aire - air

al - to the

al final - at last

al lado - to/on the side

al menos - at least

allí - there

alto(a) - tall; high or loud (voice)

amigo(a/os/as) - friend(s)

año(s) - year(s)

ansiosamente - anxiously

antinatural - unnatural

apariencia - appearance

apartamento(s) - apartment(s)

aquí - here

arrogante - arrogant

así - so

asustada - startled, frightened

asustó - s/he was startled, frightened

atención - attention

atletas - athletes

audición - audition

audiciones - auditions

aún - even

aunque - although

autobús - bus

autobuses - buses

automóvil - automobile, car

autos - autos, cars

aventura - adventure

avergonzada - ashamed, embarrassed

avión(es) - airplane(s)

ayuda - she, it helps, help

ayudaba - she helped

ayudar - to help

ayudó - s/he helped

azul(es) - blue

B

barracudas - barracudas

beber - to drink

bebiendo - drinking

besaron - they kissed

besé - I kissed

besó - s/he kissed

bien - well

blanco(a) - white

boca - mouth

botes - boats

brazo(s) - arm(s)

breve - brief, short

brillaba - she, it was shining

brillaban - they were shining

brillante - bright, shiny

bruto - brute, jerk

bueno(a) - good

buenos(as) - good

buscaba - s/he was searching for

buscando - searching

buscar - to search, to look for

C

caballo - horse

cabeza - head

cabina(s) - cabin(s)

cafetería - cafeteria

calladamente - quietly

callado(a) - quiet

cama(s) - bed(s)

cámara - camera

camina - she walks

caminaba - s/he was walking

caminando - walking

caminar - to walk

caminaron - they walked

(**no**) **camines** - don't walk

caminó - s/he walked

camiseta - tee shirt, jersey

campamento - camp

campo - field

candela(s) - candle(s)

cansado(a/os/as) - tired

capital - capital

cara - face; expensive

carta(s) - letter(s)

casa(s) - house(s)

casarse - to get married

(**se**) **casó** - she got married

casualmente - casually

catedral - cathedral

(**se**) **cayó** - s/he, it fell

celulares - cellular phones

cena - dinner

cerca - near, close

(**se**) **cerraron** - they closed

cerró - s/he closed

chaqueta - jacket

chica(s) - girl(s)

chico(s) - boy(s)

chocolate - chocolate

cinco - five

claramente - clearly

claro - clear, clearly, of course

clase - class

cocina - kitchen

cocos - coconuts

coincidencia - coincidence

colores - colors

comer - to eat

comía - s/he was eating

comida - food

comieron - they ate

comió - she ate

cómo - how

como - like, as

cómoda - comfortable

compré - I bought

compró - s/he bought

computadoras - computers

con - with

concentrarse - to concentrate

(**se**) **concentró** - she concentrated

conciertos - concerts

conexión - connection

confundida - confused

conoces - you know

conocía - she knew

conozco - I know

contacto - contact

contenta - content, happy

corre - run!

correcto(a/os/as) - correct

correr - to run

corría - s/he ran, s/he was running

corriendo - running

corrieron - they ran

corrió - s/he ran

cortesía - courtesy

cortina(s) - curtain(s)

cosa(s) - things, stuff

creer - to believe

creerme - to believe I am

crees - you believe

creía - she believed, she thought

creo - I believe

creyó - she believed, she thought

cristal - glass (in a window)

cuando - when

(**se dio, me di**) **cuenta** - she, I realized

(**ten**) **cuidado** - (be careful), caution

cultura - culture

curiosidad - curiosity

D

daba - gave, was giving

dándole - giving her

de - of, from

decía - s/he was saying, said

decidieron - they decided

decir - to say, to tell

decirle - to tell her

decirles - to tell them

decisión - decision

decisiones - decisions

decorados - decorated

dejar - to leave

dejó - s/he left

del - of the

desastre - disaster

desayuno - breakfast

descansar - to rest

descanso - a rest

desilusionada - disillusioned, disappointed

despertar(se) - to wake up

(**se**) **despertaron** - they woke up

(**se**) **despertó** - she woke up

despierta - awake

después - after

detrás - behind

día(s) - day(s)

diamante(s) - diamond(s)

dice - s/he, it says

dicen - they say

dieciséis - sixteen

diecisiete - seventeen

(**que te**) **diera** - (that) he gave

diez - ten

diferente - different

difícil - difficult

(**no me**) **digas** - don't tell me

digo - I'll tell, I tell

dije - I told

dijo - s/he said

dinero - money

dio - s/he gave

dirección - direction

directamente - directly

distancia - distance

dolía - it was hurting

domingo - Sunday

donde - where

dónde - where

dormía - s/he was sleeping

(**no había**) **dormido** - (she hadn't) slept

dormir - to sleep

dos - two

drogada - on drugs

drogas - drugs

duele - it hurts

dueño - owner

durante - during

durmió - s/he slept

E

edificio(s) - edifice(s), building(s)

él - he

el - the

eléctrica - electric

elegante(s) - elegant

ella - she

ellos(as) - they

(**sin**) **embargo** - however

emergencia(s) - emergency(ies)

emoción - emotion

emocionada - excited

empezaron - they began

empezó - s/he, it started

empieza - it starts

en - in, on, at

encantada (de conocerte) - enchanted (to meet you)

encontrar - to encounter, to find

encontró - she encountered, she found

(**se**) **encuentra** - s/he encounters

enojado(a/os/as) - angry

entiendes - you understand

entiendo - I understand

entra - s/he enters

entraron - they entered

entró - s/he entered

entusiasmo - enthusiasm

envidia - envy, jealousy

envidioso(a/os/as) - envious, jealous

equipo(s) - team(s)

era - it was

eran - they were

eras - you were

eres - you are

error(es) - error(s)

es - s/he, it is

escapar - to escape

escríbeme - write me

escribió - she wrote

escribir - to write

escuchaba - she was listening

escuchar - to listen

escuchó - she listened

escuela - school

esnob - snob

eso(e/a) - that

espacios - spaces

especial - special

especialmente - especially

espera - wait

esperaba - she was awaiting; she was hoping

esperaban - they were awaiting

esperando - waiting

esperó - she waited

espíritu(s) - spirit(s), ghost(s)

espontánea - spontaneous

esposo - spouse, husband

esqueleto - skeleton

está - s/he it is

estaba - s/he, it was

estaban - they were

estación - station

estado - state

Estados Unidos - United States

están - they are

estar - to be

estás - you are

esto(e/a) - this

estoy - I am

estuviera - s/he, I were

eventos - events

eventualmente - eventually

exactamente - exactly

excelente - excellent

exclamó - s/he exclaimed

exnovio - ex-boyfriend

experiencia - experience

explicó - s/he explained

expresión - expression

extendió - she extended

extra(s) - extra

extraño(a/os/as) - strange

extraordinario - extraordinary

F

fabuloso(a) - fabulous

falso(a/os/as) - false

familia - family

famoso(a) - famous

fantástico(a) - fantastic

faro - lighthouse

feliz(ces) - happy

felizmente - happily

fenomenal - phenomenal

feo(a/os/as) - ugly

filmaron - they filmed

flaca - thin, skinny

flirteaban - they were flirting

flirtear - to flirt

(no) flirtees - don't flirt

forzando - forcing

foto(s) - photo(s)

(en) frente - in front

frío(a) - cold

frustración - frustration

frustrada - frustrated

fruta(s) - fruit(s)

fue - s/he, it was, s/he, it went

(que) fuera - (that) s/he, it were; s/he, it went

fueron - they were, they went

fuerte(s) - strong, loud

fuertemente - strongly

fui - I went

furioso - furious

fútbol - soccer

futuro - future

G

gana - she earns

ganaba - he earned

ganar - to earn

gol - goal (in soccer)

gracias - thank you

grande(s) - big

grita - she screams

gritando - screaming

gritar - to scream

gritaron - they screamed

gritas - you scream

gritó - s/he screamed, yelled

grupo - group

guapo(a) - handsome, attractive, beautiful

guiñó (**un ojo**) - he winked

(**me**, **te**) **gusta** - I, you like it

(**le**) **gustaba** - she liked it

(**le**) **gustaban** - she liked them

gustar - to like

(**le**) **gustas** - she likes you

(**le**) **gustó** - she liked

H

había - there was, there were

habitación - habitation, room

hablaba - s/he was talking

(**no había**) **hablado** - she hadn't talked

hablando - talking

hablar - to talk

hablaron - they talked

(**no**) **hables** - don't talk

habló - s/he talked

hacer - to do, to make

haces - you do

hasta - until

hay - there is, there are

heladería - ice cream shop

helado - ice cream

hermanas - sisters

hermanos - brothers

hermoso(a/os/as) - beautiful

hice - I did

hicieron - they did

hiciste - you did

hija - daughter

hijos - sons, children

hizo - s/he, it did; s/he, it made

hola - hello

hombre(s) - man (men)

hora(s) - hour(s)

horrible - horrible

horror - horror

horroroso(a) - horrifying

hoteles - hotels

hoy - today

I

iba - s/he, it was going

idea - idea

idéntica - identical

idiota - idiot

ignorar - to ignore

ignoró - she ignored

imagen - image

imaginaba - she was imagining

imaginación - imagination

imaginar - to imagine

imaginó - she imagined

(**no me) importa** - it's not important to me, it doesn't matter to me

importante(s) - important

incómoda - uncomfortable

increíble - incredible

información - information

instante - instant

insultos - insults

inteligente - intelligent

intensa - intense

intensamente - intensely

interés - interest

interesante(s) - interesting(s)

internacional - international

interrumpió - she interrupted

invitada - invited

ir - to go

iría - s/he would go

irme - to go

J

joven - young

jóvenes - young; young people

jugaba - s/he was playing, played

jugaban - they were playing, played

jugador(a/es/as) - player(s)

jugando - playing

jugar - to play

jugaron - they played

jugaste - you played

jugó - s/he placed

junio - June

juntarse - to meet together

juntos(as) - together

justo - just

L

la - it, the

lado - side

lágrimas - tears

largo(a/os/as) - long

las - the

latina - Latina; a person or thing of Latin American origin or descent

le - to him, her

lentamente - slowly

les - to them

levantaron - they stood up

levántate - get up!

levantó - s/he stood up, got up

leyenda - legend

libre - free

línea(s) - line(s)

lista(s) - list(s)

listo(a/os/as) - ready

(**se**) **llama** - calls (himself, herself)

(**se**) **llamaba** - called (himself, herself)

llámame - call me

llamar - to call

(**te**) **llamas** - you call (yourself)

(**me**) **llamo** - I call (myself)

llegar - to arrive

llegaron - they arrived

llegaste - you arrived

llegó - s/he arrived

(**cuando**) **llegues** - (when) you arrive

llevaba - s/he was wearing

llora - she cries

lloraba - s/he was crying

llorando - crying

llorar - to cry

lloraron - they cried

lloró - s/he cried

llorona - a woman who cries a lot

lo - it

loca - crazy

los - the

luego - then

luna - moon

luz - light

M

mal - badly

malo(a) - bad

mamá - mom

mañana(s) - tomorrow, morning(s)

mano(s) - hand(s)

mantarraya(s) - manta ray(s)

mar - sea

marrón(es) - brown

más - more

más que nada - more than anything

me - to me

media dormida - half asleeep

mejor(es) - better, best

mencionaste - you mentioned

(**al**) **menos** - less, except (at least)

mental - mental

mentira(s) - lie(s)

mentiroso(a) - liar(s)

mercado - market

mesa - table

mexicana - Mexican

mí - me

mi(s) - my

mía - mine

(**tener**) **miedo** - to have fear (to be afraid)

millones - millions

minuto(s) - minute(s)

mira - look!

miraba - s/he was watching, s/he was looking

mirando - looking

mirándola - watching her

mirándolo - watching him

mirar - to look, to watch

(**como si...) mirara** - (as if) s/he were watching

miraron - they watched

miró - s/he looked, s/he watched

misterio - mystery

misteriosamente - mysteriously

misterioso(a) - mysterious

moderno - modern

momento(s) - moment(s)

monotonía - monotony

monótono - monotonous

monstruoso(a) - monstrous

montañas - mountains

moreno(a) - brunette, dark

motivación - motivation

mover - to move

movía - she was moving

moviendo - moving

movimientos - movements

movió - s/he, it moved

muchísimo - a whole lot

mucho(a/os/as) - a lot, many

muertos - dead

mujer(es) - woman (women)

mundo - world

murieron - they died

murió - s/he died

muy - very

N

nada - nothing

nadar - to swim

nadaron - they swam

nariz - nose

nativas - natives

nausea - nausea

navegantes - sailor, seafarers

necesitaba - she needed

necesito - I need

negro(a/os/as) - black

nervios - nerves

nerviosa - nervous

nerviosamente - nervously

nerviosísima - very nervous

ni - neither, nor, not even

ni siquiera - not even

niña(s) - little girl(s)

ningún(a) - no, not one

niño(s) - little boy(s)

no - no

noche(s) - night(s)

normal - normal

normalmente - normally

nosotros - we

notas - grades (in school)

notó - s/he noticed

novia - girlfriend

novio - boyfriend

nuevo(a/os/as) - new

número - number

nunca - never

O

o - or

objeto - object

observar - to observe

observó - s/he observed

obvio - obvious

ocho - eight

oí - I heard

oía - s/he, I heard, was hearing

oír - to hear

ojo(s) - eye(s)

oportunidad - opportunity

orgulloso(a) - proud

oro - gold

otro(a/os/as) - other, another

oyes - you hear

oyó - s/he heard

P

pacifico - Pacific

padre - father

padres - parents

país - country

palmeras - palms, palm trees

pantalones - pants

papel(es) - paper(s)

para - for

parece - it seems

pareces - you seem

parecía - s/he, it seemed

parecían - they seemed

parte(s) - part(s)

partido - game, sports match

pasa - it happens

pasaba - it was happening

pasado(a/os/as) - passed; past

pasar - to pass, to happen

pasaron - they passed, they happened

pasó - she passed, it happened

pegar - to hit

pegó - she, it hit

peligroso - dangerous

pelo(s) - hair(s)

pelota - ball

pensaba - s/he thought

pensar - to think

pensó - s/he thought

pequeño(a/os/as) - small

perdón - pardon

perdóname - pardon me

perdonar - to pardon, forgive

perfecta - perfect

periodo - period

permiso - permission

pero - but

persona(s) - person (people)

pesadilla(s) - nightmare(s)

piel - skin

piensas - you think

pin-pon - ping pong

piropos - flirtatious compliments

plan - plan

planeta - planet

platos - plates

playa - beach

plaza - a place, a spot

pobre(s) - poor

poco - a little, a bit

podemos - we can

podía - s/he could

podría - it could

popular - popular

por - for

porque - because

posible - possible

posiblemente - possibly

postal(es) - postcard(s)

práctica - practice

practicaba - s/he was practicing

practicaban - they were practicing

practicando - practicing

practicas - you practice

practicó - s/he practiced

pregunta - question

(**se**) **preguntaba** - she asked (herself)

preguntarle - to ask her

preguntó - s/he asked

preparados - prepared

preparando - preparing

primer(a) - first

prisión - prison

probable - probable

probablemente - probably

problema(s) - problem(s)

profesional - professional

prohibido(s) - prohibited

protección - protection

pueblo - town

puede - it can

pueden - they, you all can

puedes - you can

puedo - I can

puerta(s) - door(s)

pues - well, but

pulsera - bracelet

(**se**) **puso** - s/he put (on); s/he became

Q

que - that

qué - what

quería - s/he, I wanted

querían - they wanted

querías - you wanted

quien - who

quién - who?

quieres - you want

quiero - I want

quise - I wanted

R

rápidamente - rapidly, quickly

rápido - rapid, fast

(**tener**) **razón** - (to have) reason (to be right)

real - real

realísticos - realistic

realmente - really

recibí - I received

recibían - they received

recibió - s/he received

recibir - to receive

recibiste - you received

regalo(s) - gift(s)

relación - relation, relationship

religiosa - religious

(**de**) **repente** - suddenly

repetía - she repeated

repite - she repeats

repitió - s/he repeated

respiraba - she was breathing

respiraban - they were breathing

respiración - breath, respiration

respiró - she breathed

responder - to respond

respondió - s/he responded

responsabilidad - responsibility

resto - rest

rico(a/os/as) - rich

ridículo - ridiculous

(**se**) **rio** - s/he laughed

río(s) - river(s)

roca(s) - rock(s)

roja - red

románticamente - romantically

romántico(a/os/as) - romantic

ropa(s) - clothes

rubio(a) - blonde

S

saber - to know

sabes - you know

sabía - s/he knew

sabían - they knew

sacar (una foto) - to take (a picture)

sacó - s/he took out

salieron - they went out

salió - s/he, it left

salir - to leave

saltó - s/he jumped

sarcástica - sarcastic

sé - I know

sea - it is

secreto - secret

semana(s) - week(s)

señora - ma'am, mrs.

(**se**) **sentaba** - s/he was sitting

sentada - seated

(**se**) **sentaron** - they sat

sentarse - to sit

sentía - s/he felt

(**se**) **sentó** - s/he sat

sepa - s/he, I know

ser - to be

sería - it would be

si - if

sí - yes

siempre - always

siéntate - sit down

siete - seven

siguiente(s) - following

siguieron - they continued

siguió - s/he, it continued

silencio - silence

sin - without

(**ni**) **siquiera** - not even

situación - situation

sobre - about, upon, on top of

sofá - sofa

sol - sun

solamente - only

solo(a/os/as) - alone

son - they are

soñaba - she was dreaming

soñando - dreaming

sonido(s) - sound(s)

soñó - she dreamed

sonreía - s/he was smiling

sonreían - they were smiling

sonreír - to smile

sonrió - s/he smiled

sonrisa(s) - smile(s)

sorprendida - surprised

soy - I am

su(s) - his, her

suave - suave, smooth, charming

suelo - ground

sueño(s) - dream(s)

suficiente - sufficient

súper - super

T

(**qué**) **tal** - what's up?

tal (**vez**) - perhaps

talento - talent

talentoso(a/os/as) - talented

también - also

tampoco - neither

tan - as, so

tarde(s) - late, afternoon

te - to you

tele - television

teléfono(s) - telephone(s)

temblaba - she was trembling

tembló - she trembled

ten - have

tenemos - we have

tener - to have

(**que**) **tengas** - (that) you have

tengo - I have

tenía - s/he, it, I had

tenían - they had

tenías - you had

(**he**) **tenido** - I have had

terrible - terrible

terror - terror

terrorífica - terrifying

ti - you

tía (**abuela**) - (great) aunt

tiempo - time

tienda(s) - stores

tiene - s/he, it has

tienen - they have

tienes - you have

tierra - ground, earth

tigre(s) - tiger(s)

típico - typical

tocaba - she was touching

tocando - touching

tocándose la nariz - touching his/her nose

tocarle - to touch him/her

tocó - s/he touched

todavía - still, yet

todo(a/os/as) - all, every

toma (**una decisión**) - s/he makes a decision

toman (**una decisión**) - they make a decision

tomar - to take

tomé (**una decisión**) - I made a decision

tomó - s/he took

tonto(a) - silly, dumb

tormenta - storm

torre - tower

torturado - tortured

totalmente - totally

trabajando - working

trabajar - to work

trabajé - I worked

trabajó - s/he worked

trabajo - work, job

trágicamente - tragically

trágico - tragic

tranquilamente - tranquilly, calmly

tranquilo(a) - tranquil, calm

transformó - she transformed

trata - try

trataba - s/he tried

trató - s/he tried

tres - three

triste(s) - sad

tropical - tropical

tú - you

tu - your

turistas - tourists

turno - turn

tuve - I had

tuvo - she had

U

un(a) - a

uniforme - uniform

universidad(es) - university(ies)

unos(as) - a, some

uso - use

usted - you (formal)

ustedes - you all (formal)

usual - usual

V

va - s/he, it goes

vacantes - vacant

vamos - we go, let's go

vas - you go

(**que**) **vayan** - (that) they're going

(**a**) **veces** - (some)times

vegetación - vegetation

veía - she was seeing

ven - come

venía - it was coming

venir - to come

ventana(s) - window(s)

veo - I see

ver - to see

verano - summer

verla - to see it

versiones - versions

verte - to see you

vestido(s) - dress(es)

vez - time

vi - I saw

viaje - trip

viajó - she traveled

vida - life

videos - videos

viejo(a) - old

viejos(as) - old

(**hacía**) **viento** - (it was making) wind; it was windy

viernes - Friday

vieron - they saw

vio - s/he saw

violencia - violence

virgen - virgin

visita - she visits

visitamos - we visited

visitar - to visit

visitó - s/he visited

vista(s) - view(s)

viste - you saw

vive - she lives

vivía - s/he lived

vivir - to live

volver - to return

volvieron - they returned

volvió - s/he returned

vomitar - to vomit

voy - I go

voz - voice

voz baja - low, soft voice

Y

y - and

ya - already

yo - I

Z

zafiro - sapphire

zapatos - shoes

zona - zone